D1329758
WITHDRAWN

À pas de loup

J'apprends à lire avec Max et Néva

Catalogage avant publication de Bibliothèque et Archives nationales du Québec et Bibliothèque et Archives Canada

Vaillancourt, Danielle
J'apprends à lire avec Max et Néva
(À pas de loup. Premiers pas)
Publ. à l'origine en volumes séparés.
Sommaire : Trop-amoureux ! ; Trop-jaloux ! ;
Trop-timide ! ; Trop-curieuse !. Pour enfants.

ISBN 978-2-89686-013-5

I. Favreau, Marie-Claude. II. Titre.
III. Collection: À pas de loup. Premiers pas.

PS8593.A525J36 2011 jC843'.6C2010-942361-5
PS9593.A525J36 2011

Directrice de collection : Carole Tremblay
Conception graphique : Primeau Barey

Dépôt légal : 2e trimestre 2011
Bibliothèque et Archives nationales du Québec
Bibliothèque nationale du Canada

Dominique et compagnie
300, rue Arran, Saint-Lambert (Québec)
Canada J4R 1K5
Téléphone : 514 875-0327
Télécopieur : 450 672-5448
Courriel : dominiqueetcie@editionsheritage.com
www.dominiqueetcompagnie.com

Imprimé au Chine

Nous remercions le Conseil des Arts du Canada de l'aide accordée à notre programme de publication.

Nous reconnaissons l'aide financière du gouvernement du Canada par l'entremise du Fonds du livre du Canada pour nos activités d'édition.

Nous reconnaissons l'aide financière du gouvernement du Québec par l'entremise du Programme de crédit d'impôt pour l'édition de livres – SODEC – et du Programme d'aide aux entreprises du livre et de l'édition spécialisée.

À pas de loup

Trop... amoureux !

Texte : Danielle Vaillancourt
Illustrations : Marie-Claude Favreau

Néva aime son chien Max. Mais Max est un peu trop affectueux.

Et beaucoup trop turbulent !

Quand Néva arrive de l'école,
Max devient trop content.

Mais le pire de tout, c'est que Max
est trop... amoureux !

Max est amoureux de Boulette,
une petite chienne toute ronde.

Boulette est juste assez... calme.
Boulette est juste assez... contente.

Cependant, Boulette n'est vraiment pas amoureuse de Max !

Pour épater sa belle, Max veut
se montrer fort et courageux.

Mais voilà qu'arrive Chipie,
et aussitôt...

Max se sauve plus vite
que son ombre.

Boulette soupire. Max est trop peureux !

Boulette veut un amoureux courageux.

Max est triste. Néva lui dit :

« Montre ce que tu sais faire. Donne
la patte à Boulette. »

Max veut tellement séduire Boulette
qu'il lève les **deux** pattes.

Puis il tombe sur le dos !

Boulette soupire. Elle ne veut pas d'un amoureux maladroit.

Néva chuchote : « Sois généreux avec Boulette. Offre-lui un cadeau. »

Oups ! Max est trop excité ! Son cadeau tombe au fond de l'étang.

Boulette soupire. Elle ne veut pas d'un amoureux tout mouillé.

Néva dit : « Si tu cours vite, peut-être que Boulette va t'aimer. »

OH NOOOOOOOOOOON !

Max freine trop tard. Il fait une culbute et tombe... dans la boue.

Boulette soupire. Elle veut un amoureux courageux, adroit, bien sec et tout propre !

Découragé, Max ne mange plus,
ne jappe plus.

Néva essaie de consoler Max. Elle lui raconte sa journée, ses jeux, ses blagues. Mais Max est trop triste.

Tout à coup... Néva a une idée !
Elle dévoile à son chien
le secret des vrais amoureux.

Max devient alors tout doux...
Trop doux ?

Jamais trop doux !

À pas de loup

Trop... jaloux !

Texte : Danielle Vaillancourt
Illustrations : Marie-Claude Favreau

Tous les jours Max se promène
fièrement avec Néva.

Max aime sauter à la corde
avec Néva.

Max aime beaucoup jouer
au ballon poire avec Néva.

Max adore faire des châteaux
de sable avec Néva.

Néva aime bien jouer avec son chien,
mais parfois...

… elle veut faire autre chose.

Néva aime regarder la télévision.
Mais Max n'aime pas ça.

Il voudrait être une télé pour que Néva le regarde.

Néva veut faire ses devoirs. Mais Max n'aime pas ça.

Il voudrait se transformer en crayon pour que Néva écrive avec lui.

Néva aime parler au téléphone.
Mais Max n'aime pas ça.

Il voudrait être un téléphone pour que Néva lui parle dans l'oreille.

Néva fait du théâtre avec ses amis.
Mais Max n'aime pas ça.

Il voudrait se changer en costume pour
que Néva joue avec lui.

Néva dit : « Tu ne peux pas être une télévision, un crayon, un téléphone ou un costume...

Tu es un chien ! »

Max ne comprend pas. Il est trop jaloux de tout ce que Néva touche, regarde ou écoute.

Max voudrait manger la télévision.
Enterrer les crayons de Néva.

Max voudrait mordre le téléphone.
Faire disparaître les costumes de Néva.

Max est malheureux...
Ce n'est pas drôle d'être trop jaloux.

Néva est découragée...
Comment aider Max ?

Quand il aperçoit Boulette,
Max se lance à sa rencontre.

Débordant d'amour, Max embrasse Boulette.
Il court et s'amuse avec elle.

Néva a une idée.

Elle demande à Max :
« Si tu aimes Boulette, ça veut dire
que tu ne m'aimes plus ? »

Max lève une oreille et plisse les yeux… Il réfléchit.

Max comprend tout.
Le cœur de Néva est très grand.

Assez grand pour aimer la télévision,
les crayons, les amis et surtout...

… Max et sa Boulette !

À pas de loup

Trop... timide !

Texte : Danielle Vaillancourt
Illustrations : Marie-Claude Favreau

Néva doit préparer une communication orale sur son meilleur ami.

Elle décide de parler de son chien Max.

Néva a beaucoup d'idées
pour décrire Max...

Mais Néva est timide,
vraiment trop timide !

Juste à penser qu'elle devra parler
devant toute la classe…

… Néva tremble et rougit. Elle sent son cœur battre dans ses oreilles.

Max observe Néva qui se tortille
devant sa feuille blanche.

Inquiet, il décide d'aider sa maîtresse.

Max fait tourner un ballon sur son nez.

Max fait une grimace.

Rien à faire. Néva est immobile
devant sa feuille blanche.

Boulette arrive à la rescousse.
Elle danse le cha-cha-cha avec Max.

Enfin, Néva éclate de rire !

Elle écrit : Max est trop...
trop gentil, trop rigolo, trop amoureux !

Néva aime tellement parler de Max qu'elle oublie les gargouillis dans son ventre.

Le lendemain matin…

… c'est déjà le jour de l'exposé.
Néva enfile son chandail à l'envers.

Néva mange ses céréales avec
sa brosse à dents.

Néva part pour l'école avec
le grille-pain dans son sac à dos.

Max et Boulette se regardent :
comment aider Néva ?

C'est au tour de Néva de faire
son exposé.

Ses jambes sont molles comme
des spaghettis trop cuits.

Néva ouvre la bouche pour parler.
On dirait qu'elle n'a plus de salive !

Ses mots se bousculent :
« Mon Max s'appelle ami… euh…
Mon amax s'appelle Mix… »

Néva est étourdie. Désespérée,
elle regarde par la fenêtre et...

… elle aperçoit Max et Boulette ! Néva rit,
et tous les amis de la classe aussi !

Néva dit: « Mon chien Max est trop gentil,
trop rigolo, trop amoureux.

Et moi je ne suis plus trop timide
parce que j'aime trop...

… Max et sa gentille Boulette,
qui m'aiment aussi ! »

À pas de loup

Trop... curieuse !

Texte : Danielle Vaillancourt
Illustrations : Marie-Claude Favreau

Néva est une petite
fille heureuse,
curieuse, fouineuse.

Quand Néva commence
la lecture d’un livre, elle veut tout
de suite connaître la fin.

Ce matin, Néva est encore plus curieuse que d'habitude.

C'est son anniversaire dans quatre jours !
Néva sautille d'impatience.

Elle imagine son cadeau.
Un éléphant bébé, une fusée privée,
un robot frisé.

Quatre jours à attendre, c'est trop long.
Néva décide de faire une enquête.

Le premier jour, Néva écoute aux portes.

Elle fait l'espionne quand
sa maman parle au téléphone.
Mais maman ferme la porte.

Le deuxième jour, elle explore
la garde-robe avec une lampe de poche.

Elle trouve des chapeaux colorés. Chic !
se dit Néva. Il y aura une fête !

Elle scrute les boîtes de souliers et découvre la liste des invités.

Super ! se dit Néva. Mamie sera là !

Maman surprend Néva dans la garde-robe.
Elle lui suggère d'aller faire un tour dehors.

Max et Boulette jappent. Ils veulent jouer avec Néva. Mais Néva ne veut jouer qu'à la détective.

Boulette est découragée.
Elle décide de bouder.

Néva s'en fiche complètement.
Elle n'a qu'une idée en tête.

Elle poursuit ses recherches dans le jardin.

Elle épie les fleurs, interroge les sauterelles.

Elle creuse sous la galerie et questionne les fourmis.

Max s'impatiente et Boulette soupire.

Le troisième jour, Néva fouine dans le porte-documents de papa.

Elle fouille dans le sac à main de maman.

Max tire Néva par le fond de culotte.
Boulette rigole.

Malgré tout, Néva continue à chercher. Elle trouve enfin une grosse boîte dans le garde-manger.

Max hurle. Aouuuuuuuuuuuu ! Il ne veut pas que Néva découvre son cadeau.

Néva réfléchit. Elle n'ouvre pas la boîte.

Max a raison.

Néva adore les anniversaires.
Mais ce qu'elle aime le plus…

… c’est les surprises !